KU-385-391

谁动了我的奶酪?
Who Moved My Cheese?

〔美〕斯宾塞·约翰逊　著

吴立俊　译

中信出版社
CITIC Publishing House

再完美的计划也时常遭遇不测。

——罗伯特·彭斯(1759~1796)

生活并不是笔直通畅的走廊，
让我们轻松自在地在其中旅行，
生活是一座迷宫，
我们必须从中找到自己的出路，
我们时常会陷入迷茫，
在死胡同中搜寻。
但如果我们始终深信不疑，
有一扇门就会向我们打开，
它或许不是我们曾经想到的那一扇门，
但我们最终将会发现，
它是一扇有益之门。

——A. J. 克朗宁

献给我的朋友
肯尼思·布兰查德博士

　　他对这个故事的热情，激励我写出了本书。有了他的帮助，这本书才得以面世和广为流传。

目　录

代序：变化与困惑

汤小明

1949 年新中国成立；

1978 年中国实行改革开放政策；

2001 年 7 月 13 日，在现代奥林匹克运动会创办 105 年之后，中国申奥终获成功；

2001 年底，中国将加入 WTO⋯⋯

1978 年，中国国内生产总值为 3 624.1 亿元人民币；

1988 年，中国国内生产总值为 8 964.4 亿元人民币；

1999 年，中国国内生产总值达到 79 552.8 亿元人民币；

2001 年，预计中国国内生产总值将达到 8.9 万亿元人民币，突破 1 万亿美元大关，实现历史性跨越；

2010 年，中国国内生产总值将比 2000 年增加一倍⋯⋯

那么你呢？

回忆一下十年以前的你……

再看看现在的你……

是否想过十年之后，你又会怎样？

一个古老而又年轻的民族，一个活力四射并飞速发展的国家，正以前所未有的创造力向世界经济的顶峰攀登。飞速扩展的城市、飞速扩展的信息、飞速扩展的市场……

与此同时，年轻的效率也正付出年轻的代价。变化与困惑、规范与活力、增长与问题相拥而舞。

面对日新月异的变化，你可以抱怨、牢骚满腹；面对变化，你可以更加浮躁；面对变化，你也可以一直等待；面对变化，你还能否思考？

你的工作、你的财富、你的幸福、你的梦想、你的爱情、你的学识、或者仅仅是你的一份心情……

是谁改变了他们？究竟是谁动了你的"奶酪"？

你困惑！

也许没有人能说得清年轻的激情中理智的目光与感情的奔跑谁更重要；也许没有人能说得清崛起的效率中变化的激情与思考的冷静谁更重要。

但中国还在、也必须大踏步地前进，因为中国还很落后；而科技文明已将全球经济变得更加一体化也更加多元化。

　　不管你是否愿意，你将面临更加波澜壮阔的变化，也将面临更具挑战与更加复杂的困惑。

　　思考、选择、行动与成功也应离你更近了，或许是更远。

　　谁动了你的"奶酪"？

　　无人以答。这个国家、这个世界、这个时代，从无数的变化与困惑中正在不断地创造出无数的"奶酪"。

　　而属于你的"奶酪"也将从这些变化与困惑中、从你的思考与行动中、从你积极而自由的心态里脱颖而出……

2001 年夏末于北京

我们多面的人性

——简单的一面和复杂的一面

故事中虚构的四个角色：老鼠嗅嗅和匆匆、小矮人哼哼和唧唧，用来代表我们的不同方面，即我们简单的一面和复杂的一面。

我们每个人都具有这些不同的方面，不论我们的年龄、性别、种族和国籍如何。

有时我们的行为像：

他能够及早地嗅出变化的气息；或者像：

他能够迅速开始行动；或者像：

哼哼

他因为害怕变化而否认和拒绝变化，这会使事情变得更糟，或者像：

唧唧

当他看到变化会使事情变得更好时，能够及时地调整自己去适应变化！

不管我们选择哪一面，我们都有共同的方面，那就是：

需要在迷宫中找到我们自己的道路，帮助我们在变化的时代获得成功。

5

故事背后的故事

肯尼思·布兰查德博士

几年前，斯宾塞·约翰逊和我一起合著《一分钟经理人》的时候，给我讲了一个精彩的故事——"奶酪的故事"。自从我听到这个寓意深长的故事以后，我就一直盼望着他能把这个故事写成书，使我们大家都能读到它，一起分享书中的故事带给我们的快乐和教益，因为从那时起，我就一直在回味这个绝妙的故事，惊叹于它带给我的启迪。

现在，我怀着激动的心情向大家介绍这本《谁动了我的奶酪》，并给各位讲述有关这个故事背后的故事。

《谁动了我的奶酪》讲的是一个关于"变化"的故事。故事发生在一个迷宫中，有四个可爱的小生灵在迷宫中寻找他们的奶酪。故事里的"奶酪"是对我们在现实生活中所追求目标的一种比喻，它可以是一份工作，一种人际关系，可以是金钱，一幢豪宅，还可以是自由、健康、社会的认可和老板的赏识。或许它只是一种精神上的宁静，甚至还可以只是一项运动，如马术、高尔夫球等等。

我们每个人的内心都有自己想要的"奶酪"，我们追寻它，想要得到它，因为我们相信，它会带给我们幸福和快乐。而一旦我们得到了自己梦寐以求的奶酪，又常常会对它产生依赖心理，甚至成为它的附庸；这时如果我们忽然失去了它，或者它被人拿走了，我们将会因此而受到极大的伤害。

故事里的"迷宫"代表着你花时间寻求着的东西所在的地方，它可以是你效力的机构，你生活的社区，亦或是你生活中的某种人际关系。

我到世界各地演讲时就时常讲到这个各位即将在本书中读到的"奶酪的故事"，并且我常常听到人们在听完这个故事以后所发出的由衷的感叹，感叹这个故事带给他们的影响与改变。

信不信由你，这个小小的"奶酪的故事"已经获得了普遍的赞誉，它帮助了许许多多的人，因为它挽救了他们的事业、婚姻以及他们的生活！

这里我给大家讲一个真实的故事，主人翁就是深孚众望的NBC电视节目主持人查理·琼斯。他就是因为这个"奶酪的故事"，而使自己的事业生涯获得了转机。虽然电视节目主持人的职业很特殊，但是查理从故事中所学到的道理却适合于任何一种职业特性，并且人人都可以学习和掌握。

以下就是发生在查理·琼斯身上的故事：

查理早期所从事的主要工作，是报道奥运会中的田径项目，他在这项工作上很努力而且一直都干得非常出色。但是，突然有一天老板告诉他，下一届的奥运会将派他去报道游泳和跳水项目。听到这个消息，查理既吃惊又难过。

因为他对游泳和跳水这两个项目完全不熟悉，这样的安排使他有一种挫折感，觉得自己不被重用和赏识。他说当时他感到这样的安排对他来说太不公平了，他为此而愤愤不平。并且这种愤怒的情绪几乎影响到了他所做的每一件事情，他的生活开始变得一团糟。

就在这时，他听到了这个故事——"谁动了我的奶酪"。

听完故事后，他觉得自己以前的态度和行为十分可笑并迅速采取行动，进行调整。从此，他的工作和行为大大地改善了。因为他已经明白，老板只是拿走了他的奶酪而已，而他所应该做的就是调整自己，适应变化。于是他很快调整好自己的状态，以便适应新的工作，并开始下功夫去熟悉、了解游泳和跳水项目。在开展新工作的过程中，他惊奇地发现，做新的事情竟然使他感觉又焕发了青春。

不久，老板发现查理改变了工作态度，并且重新焕发出了新的活力，于是，给他分派了更多的新的有挑战的工作。从此查理走上了不断成功的道路，并从中享受到了前所未有的喜悦。后来，他被推选为"职业足球名人堂"最佳播音员之一。

我听到很多人表示，这个故事对他们的职业生涯和情感生活产生了巨大的冲击和震撼，而查理·琼斯的故事只是真实生活中这许许多多例子中的一个。

我是如此地相信"谁动了我的奶酪"这个故事所具有的影响力和震撼力，以致于我把这个故事成书之前的一个版本，送给每一位同我们公司有合作的人（大约有二百多人）。我为什么这样做呢？

因为，一个公司的经营，不能只停留在求生存的阶段，而必须始终保持一种竞争的状态。我们布兰查德培训公司就是在不断地改变着，有人不断地拿走我们的"奶酪"。过去，传统的公司喜欢忠诚刻板的员工；而今天，我们更需要的是迅捷灵活的人而不是那种习惯于"按部就班"工作的雇员。

我们都知道，工作与生活就像不断翻滚的浪花，各种变化都在时时发生。生活在其中，的确使人感到紧张不安，除非有一种办法能使我们关注到这些变化，并且能够从中得到启迪。有一条找到这种办法的途径，那就是走进"奶酪的故事"。

当人们听我讲起这个故事后，就纷纷开始去读《谁动了我的奶酪》。而在阅读过程中，几乎每个人都感觉到这个故事让人有一种释放压力并开始放松的神奇的作用。各个部门的人一个又一个地跑来感谢我向他们介绍了这本书，并且告诉我这本书对他们的帮助是多么巨大，使得他们能够从不同的角度看待公司正面临的种种变化。

请相信我，这则简短的寓言只需花费你不多的时间，但它带

给你的影响将是深远的。

本书包括三个部分。

第一部分，"同学聚会"——讲述一群过去的同窗在一次聚会上讨论如何应对生活中的种种变化。

第二部分是全书的核心——"谁动了我的奶酪"的故事。

在故事中，你会发现，当面对变化时两个老鼠做得比两个小矮人要好，因为他们总是把事情简单化；而两个小矮人所具有的复杂的脑筋和人类的情感，却总是把事情变得复杂化。这并不是说老鼠比人更聪明，我们都知道人类更具智慧。但换个角度想，人类那些过于复杂的智慧和情感有时又何尝不是前进道路上的阻碍呢？

当你观察故事中四个角色的行为时，你会发现，其实老鼠和小矮人代表我们自身的不同方面——简单的一面和复杂的一面。当事物发生变化时，或许简单行事会给我们带来许多的便利和益处。

本书的第三部分，"讨论"——是那些同窗好友们围绕这个故事展开的讨论，他们讨论这个故事的意味，以及如何把这个故事带给人们的启迪运用到生活与工作中去。

有些读过成书之前的手稿的读者读完故事本身后就停下来，不再继续阅读关于这个故事的讨论。另外一些人则更乐于阅读故事后面的"讨论"，因为他们认为从中可以受到启发，可以思考如何将从故事中学到的东西运用到他们的实际生活中去。

无论怎样，我都真诚地希望各位像我一样，在每次阅读这个故事的时候，都能从中领悟到一些新的、有用的东西；希望它能帮助你妥善地应对各种变化，不论你的成功目标是什么，它都能助你走向成功。

　　我希望你们能欢欣于你们从故事中所发现的道理，并能享受到这一发现的乐趣。祝你们一切顺利。请记住一句话：随着奶酪的变化而变化。

Who
Moved
My
Cheese?

谁动了我的奶酪？

芝加哥的同学聚会

芝加哥一个阳光明媚的星期天，许多过去在学校曾是好朋友的同班同学聚在一起搞午餐会。前一天晚上，他们刚参加完全体高中同学的聚会。在一阵打闹嬉笑和丰盛的午餐后，他们坐下来开始了饶有兴致的交谈，希望彼此多了解一些分别后的生活经历。

安杰拉曾是班上最受欢迎的人之一，她第一个发表感慨："生活真的是跟我们做学生时想像的完全不一样，变化太多了。"

"的确如此！"内森附和道。内森正如大家所预料的那样，毕业后就进入了他的家族企业。这家企业的经营模式经年未变，在当地人的记忆中，那可是一家历史悠久的老字号了。因此，当内森若有所思地附和着安杰拉，并发出如此感叹时，大家都感到有些吃惊。

内森好像并未注意到大家的诧异，表情忧郁地接着说："你

们是否注意到，当周围的事情已经发生变化时，我们却不想对自己有所改变。"

卡洛斯接着说道："我们拒绝改变，是因为我们害怕改变。"

杰西卡接过他的话："噢，卡洛斯，你可是学校的足球队长，我们心目中的英雄，我从没想过还有什么东西可以让你害怕的。"

大家都笑了起来。他们都意识到，尽管大家毕业后都在各自不同的方面发展——从在家里工作到在外经营管理公司——但好像都有着类似的感觉——害怕改变。

这些年来，每个人都试图应对发生在生活中的各种意想不到的变化。但大家都承认，他们找不到一种很好的应对办法。

这时，迈克尔发话了："我过去也一直害怕改变，直到有一天，我们的生意出现了一个重大的变故，但我们公司所有的人都不知道该怎样去应付，由于我们没能及时做出调整，使我们几乎丢掉了全部的生意。"

"后来，"迈克尔继续讲道："我听到了一个故事，这个故事使一切都改变了。"

"此话怎讲？"内森问道。

"喔，因为这个故事改变了我害怕改变的个性以及我对变化的看法——从害怕失去某些东西到期待获得某些东西——它教会我如何去做。从那以后，我的一切都迅速地改善了——无论工作还是生活。"

"是什么故事这么神奇?"好几个人异口同声地问道。

"一开始,我被这个故事显而易见的简单给惹恼了,它就像我们小时候听腻了的那些寓言故事一样。"

"后来我发现,其实我是被自己惹恼了,我为自己不懂得这样简单明白的道理,在事情发生变化时不能采取行之有效的举动而感到恼怒。"

"再后来,我把这个故事告诉我们公司里的其他人,其他人又讲给其他人听。很快,公司里的业务有了明显的改进,因为我们大家都能及时地做出很好的调整以随时应对变化。与我的感受一样,许多人都说,这个故事使他们的个人生活大受裨益。"

"当然,也有人说他们从中没有得到什么,他们或者是知道这样的教训而且已经领教多次了。或者,更普遍的是,他们觉得自己已经懂得够多,不需要再学习什么了。他们甚至假装看不到如此多的人正在从中受益。"

"我的一位有些呆板的高级主管就说,读这个故事只是浪费时间。然而大家都取笑他,把他比做故事中的一个角色——从不学习新的东西而且从不愿意改变。"

安杰拉有些迫不及待:"别卖关子了,这究竟是一个什么样的故事?"

"故事的名字叫作'谁动了我的奶酪'。"

大家都哄笑起来。卡洛斯说:"我想仅凭这个名字,我就已

经喜欢上这个故事了。你能讲给我们听听吗？或许我们也会从中有所收获。"

　　"当然，"迈克尔答道："我非常愿意把这个故事讲给你们听。它并不长。"于是，他开始给大家讲述这个故事。

"谁动了我的奶酪"的故事

　　从前，在一个遥远的地方，住着四个小家伙。为了填饱肚子和享受乐趣，他们每天在不远处的一座奇妙的迷宫里跑来跑去，在那里寻找一种叫做"奶酪"的黄橙橙、香喷喷的食物。

　　有两个小家伙是老鼠，一个叫"嗅嗅"，另一个叫"匆匆"。另外两个家伙则是小矮人，和老鼠一般大小，但和人一个模样，而且他们的行为也和我们今天的人类差不多。他俩的名字，一个叫"哼哼"，另一个叫"唧唧"。

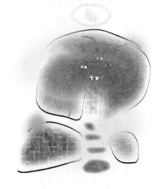

　　由于他们四个实在太小了，他们在干什么当然不太会引起旁人的注意。但如果你凑近去仔细观察，你会发现许多令人惊奇不已的事情！

　　两个小老鼠和两个小矮人每天都在迷宫中度过，在其中寻找

他们各自喜欢的奶酪。嗅嗅、匆匆的大脑和其他啮齿类动物的差不多一样简单，但他们有很好的直觉。和别的老鼠一样，他们喜欢的是那种适合啃咬的、硬一点的奶酪。

而那两个小矮人，哼哼和唧唧，则靠脑袋行事，他们的脑袋里装满了各种信念和情感。他们要找的是一种带字母"C"的奶酪。他们相信，这样的奶酪会给他们带来幸福，使他们成功。

尽管小老鼠和小矮人的目标各不相同，但他们做的事情是差不多的。每天早上，他们会各自穿上运动服和慢跑鞋，离开他们的小房子，跑进迷宫寻找他们各自钟爱的奶酪。

迷宫中有许多曲折的走廊和好像蜂窝似的房间，其中的一些房间里藏着美味的奶酪，但更多的地方则是黑暗的角落和隐蔽的死胡同，任何人走进去都很容易迷路。

同时，这座迷宫还有一种神奇的力量，对那些找到出路的人，它能使他们享受到美好的生活。

两个小老鼠，嗅嗅和匆匆，总是运用简单低效的反复尝试的办法找奶酪。他们跑进一条走廊，如果走廊里的房间都是空的，他们就返回来，再去另一条走廊搜寻。没有奶酪的走廊他们都会记住。就这样，很快地他们

从一个地方找到另一个地方。嗅嗅可以用他那了不起的鼻子嗅出奶酪的大致方向，匆匆则跑在前面开路。然而迷宫太大太复杂，如你所料，他们经常会迷路，离开正道走错了方向，有时甚至还会撞到墙上。

而两个小矮人，哼哼和唧唧，则运用他们思考的能力，从过去的经验中学习。他们靠复杂的脑筋，搞出了一套复杂的寻找奶酪的方法。

哼哼和唧唧的方法比他们的老鼠朋友要高效，因此他们走进死胡同和碰壁的情况要比小老鼠们少得多。他们也为此而时常沾沾自喜很是得意，甚至有些看不起低智商的老鼠朋友。然而有时候，人类复杂的头脑所带来的复杂感情也会战胜他们的理性思维，使他们看问题的眼光变得黯淡起来。这也使得他们在迷宫中的生活更加复杂化，也更具有挑战性了。

但是不管怎样，这四个家伙——嗅嗅和匆匆，哼哼和唧唧，都以他们各自的方式不懈地追寻着他们想要得到的东西。最后，

终于有一天，在某个走廊的尽头，在奶酪 C 站，他们都找到了自己想要的奶酪。

这里真是一个天堂，四个小家伙被眼前的情景惊呆了，无数各式各样的奶酪堆积如山，闪着诱人的光亮。四个小家伙呆了半晌，然后疯了般地冲进奶酪堆，开始狂欢。

从那以后，这四个家伙，小老鼠和小矮人，每天早上穿上他们的跑步装备后便毫不犹豫地直奔奶酪 C 站。不久，他们都建立了熟悉的路线，并形成了各自的生活习惯。

嗅嗅和匆匆仍旧每天都起得很早，然后沿着相同的路线跑进迷宫中。

当老鼠们到达目的地后，他们脱下自己的跑鞋，有条不紊地将两只鞋系在一起，挂在脖子上——以便需要的时候能够很快穿上。然后，他们才开始尽情地享用奶酪。

在刚开始的一段时间里，哼哼和唧唧也是如此行事，每天早晨赶到奶酪 C 站，按部就班的把鞋子挂在脖子上，享用在那里等着他们的美味佳肴。

然而，不久以后，小矮人们改变了他们的常规。

哼哼和唧唧每天起得比老鼠们晚一些，懒懒地穿好运动服，然后信步走到奶酪C站。不管怎样，反正已经找到了奶酪。

他们从没想过，奶酪是从哪里来的，是谁把它们放在那里的。他们只是理所当然地认为，奶酪总是会在那里的。

每天，哼哼和唧唧到达奶酪C站以后，就像回到了自己家一样，舒适地呆在那里。他们脱下身上的运动衣，把它们挂起来，甩掉脚上的鞋子，换上拖鞋。他们找到了奶酪，感觉实在是太惬意了。

"真是太好了！"哼哼说："这里有这么多的奶酪，足够我们享用一辈子了。"小矮人们充满了幸福和成功的感觉，觉得从此可以无忧无虑了。

不久，哼哼和唧唧更理所当然地认定，他们在奶酪C站发现的奶酪就是"他们自己的"奶酪了。这里的奶酪库存是如此的丰富，于是他们决定把家搬到更靠近奶酪C站的地方，还在周围一带开展了他们的社交活动。

为了使这里有更像家的感觉，哼哼和唧唧把墙壁装饰了一通，还在墙上写了一些格言，并且精心地画上了一些非常可口的奶酪的图案。他们看着这些图画和格言，会心地笑了。其中一幅图画的内容是：

拥有奶酪，
就拥有幸福。

有时，他们会带朋友来参观他们在奶酪C站里成堆的奶酪，自豪地指着这些奶酪说："多么美妙可口的奶酪呀，不是吗？"有时，他们还会与朋友们一起分享这些奶酪，而有时则单独享用。

"我们应该拥有这些奶酪，"哼哼说，"为了找到它们，我们可是付出了长期而艰苦的努力的，我们当然有资格拥有它们。"他一边说着一边拿起一块鲜美的奶酪放进嘴里，享用起来，脸上流露出幸福的光彩。

然后，就像往常一样，哼哼享受完奶酪便睡着了，梦中还露出满足而惬意的笑容。

每天晚上，小矮人们在美美地饱餐了奶酪后，就摇摇摆摆地走回家，第二天早上他们又会信心十足地走进奶酪C站，去享用更多的奶酪。

这样的境况维持了相当长的一段时间。

逐渐地，哼哼和唧唧的自信开始膨胀起来。面对成功，他们开始变得妄自尊大。在这种安逸的生活中，他们丝毫没有察觉到正在发生的变化。

随着时间的流逝，嗅嗅和匆匆日复一日地重复着他们的生活。每天早早地赶到奶酪C站，四处闻一闻、抓一抓，看看这区域和前一天有什么不一样。等到确定没有任何异常后他们才会坐下来细细品味奶酪，好好享受一番。

一天早上，当嗅嗅和匆匆到达奶酪C站时，发现这里已经没有奶酪了。

对此，他们并不感到吃惊。因为他们早已察觉到，最近好像有一些奇异的事情正在奶酪C站里发生，因为这里的奶酪已经越来越小，并且一天比一天少了。他们对这种不可避免的情况早有心理准备，而且直觉地知道该怎么办。

他们相互对望了一眼，毫不犹豫地取下挂在脖子上的跑鞋，穿上脚并系好鞋带。

两只小老鼠对此并没有做什么全面细致的分析，事实上，也没有足够复杂的脑细胞可以支持他们进行这么复杂的思维。

对老鼠来说，问题和答案都是一样的简单。奶酪C站的情况发生了变化，所以，他们也决定随之而变化。

他们同时望向迷宫深处。嗅

嗅扬起他的鼻子闻了闻,朝匆匆点点头,匆匆立刻拔腿跑向迷宫的深处,嗅嗅则紧跟其后。

他们开始迅速行动,去别的地方寻找新的奶酪,甚至连头都没有回一下。

同一天的晚些时候,哼哼和唧唧也像往常一样蹦蹦跳跳地来到奶酪 C 站,一路上哼着小曲。他们过去一直没有察觉到这里每天都在发生的细小变化,而想当然地以为他们的奶酪还在那里。

面对新的情况,他们毫无准备。

"怎么! 竟然没有奶酪?"哼哼大叫道,然后他开始不停地大喊大叫,"没有奶酪? 怎么可能没有奶酪?"好像他叫喊的声音足够大的话,就会有谁把奶酪送回来似的。

"谁动了我的奶酪?"他声嘶力竭地呐喊着。

最后,他把手放在屁股上,脸憋得通红,用他最大的嗓门叫道:"这不公平!"

唧唧则站在那里,一个劲地摇头,不相信这里已经发生的变化。对此,他同样没有任何心理准备,他满以为在这里照旧可以找到奶酪。他长时间地站在那里,久久不能动弹,完全被这个意外给惊呆了。

哼哼还在疯狂地叫嚷着什么,但唧唧不想听,他不想面对眼前的现实,他拼命地告诉自己,这只是一个噩梦,他只想回避这一切。

他们的行为并不可取,而且也于事无补,但我们总还是能够

理解的。

　　要知道找到奶酪并不是一件容易的事情。更何况，对这两个小矮人来说，奶酪绝不仅仅只是一样填饱肚子的东西，它意味着他们悠闲的生活、意味着他们的荣誉、意味着他们的社交关系以及更多重要的事情。

　　对他们来说，找到奶酪是获得幸福的惟一途径。根据不同的偏爱，他们对奶酪的意义有各自的看法。

　　对有些人而言，奶酪代表的是一种物质上的享受；而对另一些人来说，奶酪则意味着健康的生活，或者是一种安宁富足的精神世界。

　　对唧唧来说，奶酪意味着安定，意味着某一天能够拥有一个可爱的家庭，生活在名人社区的一座舒适的别墅里。

　　对哼哼来说，拥有奶酪可以使他成为大人物，可以领导很多很多的人，而且可以在卡米伯特山顶上拥有一座华丽的宫殿。

　　由于奶酪对他们实在太重要了，所以这两个小矮人花了很长时间试图决定该怎么办。但他们所能够想到的，只是在奶酪 C 站里寻找，看看奶酪是否真的不存在了。

　　当嗅嗅和匆匆已经在迅速行动的时候，哼哼和唧唧还在那里不停地哼哼唧唧、犹豫不决。

　　他们情绪激动地大声叫骂这世界的不公平，用尽一切恶毒的语言去诅咒那个搬走了他们的奶酪的黑心贼。然后唧唧开始变得消沉起来，没有了奶酪，明天会是怎样？他对未来的计划可是完完全全都建立在这些奶酪的基础上面的啊!

　　这两个小矮人就是不能接受这一切。这一切怎么可能发生呢？没有任何人警告过他们，这是不对的，事情不应该是这个样子的，他们始终无法相信眼前的事实。

　　那天晚上，哼哼和唧唧饥肠辘辘、沮丧地回到家里。在离开之前，唧唧在墙上写下了一句话：

奶酪对你越重要，
你就越想抓住它。

第二天，辗转难眠了一晚上的哼哼和唧唧早早地离开家又回到奶酪 C 站，不管怎样，他们抱着一线希望，他们不断地欺骗自己，假定昨天走错了地方，他们仍然希望找回他们的奶酪。奶酪站的位置没有变化，然而奶酪的的确确早已不复存在。两个小矮人顿时手足无措，不知道该怎么办。哼哼和唧唧只是站在那里，一动不动，就像两座毫无生气的雕像。

唧唧紧紧闭上眼睛，用手捂住自己的耳朵，他只想把一切都堵在外面。他不愿相信奶酪是逐渐变得越来越少的，他宁愿相信奶酪是突然之间被全部拿走的。

哼哼则把现在的情况分析了又分析，他用他那复杂的大脑把他所有的信条都翻了个遍。"他们为什么要这样做？"他终究没能找到答案，"这里究竟发生了什么事情？"

终于，唧唧睁开了眼睛，朝周围看了看说："顺便问一下，嗅嗅和匆匆现在在那里？你是否觉得他们知道某些我们还不知道的事情？"

"那两个弱智，他们能够知道些什么？"哼哼的语气中充满了不屑。

他继续说："他们只是头脑简单的老鼠，他们只会对发生的事情做出简单的反应。而我们是机伶聪明的小矮人，我们比老鼠有头脑。我们应该能够推测出这里的情况。"

"我知道我们更聪明，"唧唧说，"但是，我们现在的行为好像并不怎么聪明。我们周围的情况已经发生了变化，哼哼，也许

我们需要做出一些改变，去做点什么不同的事情。"

"我们为什么要改变？"哼哼问道，"我们是小矮人，我们是不一样的。这样的事情不应该发生在我们的身上。即使出现了这样的情况，我们至少也应该从中得到一些补偿。"

"为什么我们应该得到一些补偿呢？"唧唧问。

"因为我们有这样的权利。"哼哼宣称。

"有什么样的权利？"唧唧不明白。

"有拥有我们的奶酪的权利。"

"为什么？"唧唧还是不明白。

"因为这个问题不是我们引起的，"哼哼说，"是某些别有用心的

人制造了这个局面，而不是我们，所以我坚持认为我们总应该从中得到些补偿。"

"也许我们应该停止这种无用的分析，"唧唧提议，"分析问题到此为止。在我们还没有被饿死之前，我们应该赶紧出发去找新的奶酪。"

"噢，不！"哼哼反对说，"我就快要找到问题的根源了，要知道，我们曾经拥有过那么多、那么好的奶酪啊！"

当哼哼和唧唧还在争执着试图决定该怎么办的时候，嗅嗅和

匆匆已经在很顺利地做他们的事情了。他们进入到了迷宫的更深处，走过一条又一条走廊，在每一个他们遇到的奶酪站里仔细寻找着奶酪。

除了倾尽全力地寻找新的奶酪，他们并不考虑任何别的事情。

有好一段时间，他们找得很辛苦却一无所获。直到他们走进迷宫中一个他们从未到过的地方：奶酪 N 站。

他们高兴得尖叫起来，他们终于发现了他们一直在寻找的东西：大量新鲜的奶酪。

他们简直不敢相信自己的眼睛，这是他们所见过的最大的奶酪仓库。

而与此同时，哼哼和唧唧仍然呆在奶酪 C 站，对他们目前的处境进行揣摩。他们正在忍受着失去了奶酪的痛苦，挫折感、饥饿感和由此而来的愤怒紧紧围绕着他们，折磨着他们，他们甚至为陷入眼前的困境而相互指责。

唧唧仍然时时想起他的老鼠朋友，猜想他们现在是否已经找到了奶酪。他相信他们也许过得

很困难。在迷宫中穿行，总会面临许多难以预料的事情。但他也知道，什么事情也得有不容易的一个阶段。

有时，唧唧会想像出嗅嗅和匆匆已经找到了奶酪并正在享用它们的情景。他忽然有一种冲动，想到迷宫中冒险去寻找新的奶酪。在迷宫中探险，找到新的奶酪并尽情享用，这一切该是多么的美好啊！想到这里，他觉得仿佛自己已经尝到了新鲜奶酪的美味。

正在寻找和享用新的奶酪，这样的情景在唧唧的头脑中越来越清晰。他觉得自己越来越想离开奶酪 C 站，出发去寻找新的奶酪。

突然，他大声宣布道："我们走吧！"

"不！"哼哼很快做出了反应："我喜欢这里。我只熟悉这里，这里很好很舒服。再说，离开这里到外面去是很危险的。"

"不会的，"唧唧说："以前我们也曾经到过这个迷宫中的许多地方，我们还可以再去其他地方找找看。"

"我觉得自己已经有些老了，不能再做这种跑来跑去到处冒险的事了。"哼哼说："而且，我也不想像个傻瓜似的，时常迷路。你觉得呢？"

听哼哼这么一说，失败的恐惧感又袭上了唧唧的心头，他的那点发现新奶酪的希望又逐渐消退了。

就这样，这两个小矮人继续做着以前每天所做的事。他们仍然每天都去奶酪 C 站，发现还是找不到奶酪，然后怀着忧虑和挫败的心情回到家里。

他们试图否认眼前发生的一切，开始失眠，力气一天比一天小，变得越来越烦躁易怒。

他们的家，也不再是美好舒适的地方。他们睡不上一个安稳觉，而且每晚的时光都伴着找不到奶酪的噩梦度过。

但他们仍然每天都回到奶酪C站，仍然每天在那里等待。

哼哼说："你知道，如果我们再努力一些，我们也许会发现事情并没有发生太大的变化。奶酪也许就在附近，它们也许只是被人藏到墙后面去了。"

第二天，哼哼和唧唧带了工具回到奶酪C站。哼哼拿着凿子，唧唧则用锤子敲打。他们费了九牛二虎之力，终于在墙上打出了一个洞，朝里面窥视，却依旧没有发现奶酪的踪迹。

尽管他们感到非常失望，但他们仍然相信问题会得到解决。以后，他们起得更早，工作得更长、更努力。但是，一段时间以后，他们得到的只是一个个更大的空洞。

唧唧开始认识到行动和结果之间的区别。

"也许，"哼哼说："我们只需要坐在这里，看看到底会发生什么事情。迟早他们会把奶酪再送回来的。"

唧唧希望他说的是真的。这样，他每天回家休息，然后勉强陪着哼哼去奶酪C站查看情况。但是，奶酪始终没有再出现。

由于焦虑和饥饿，这两个小矮人已经变得有些虚弱。唧唧已经开始厌倦等待——完全被动地等着状况自己发生好转。他开始

明白，他们在奶酪 C 站等待的时间越长，情况只会变得越糟糕。

唧唧明白，他们正在失去自己的优势。

终于，有一天，唧唧开始自己嘲笑起自己来了："唧唧呀唧唧，看看你自己吧！你居然等到每天重复同样的错误，还总是奇怪、怀疑为什么情况还没有得到改善，还有什么比你这种做法更可笑的呢？这如果不是荒谬，就是滑稽。"

唧唧并不想再到迷宫中去奔波。他知道他可能会迷路，而且他也不知道究竟应该到哪儿去寻找新的奶酪。但当他明白正是他的恐惧感使他如此裹足不前、坐以待毙的时候，他嘲笑起自己的愚笨。

他问哼哼："我们的运动衣和慢跑鞋放到哪里去了？"他花了很长时间才翻出了那些运动装备。当初，他们在奶酪 C 站找到奶酪以后，就把鞋啊什么的都扔到一边去了，因为他们满以为再也不会需要这些玩意儿了。

当哼哼看到他的朋友穿上运动服时，他说，"你不是真的要到迷宫中去吧？你为什么不留下来，和我一起在这里等，等着他们把奶酪送回来？"

"因为如果这么做，我们将永远不会得到那些奶酪，"唧唧大声说："不会有人把奶酪送回来了，现在已经到了去寻找新奶酪的时候了，不要再想那些早已不存在的奶酪了！"

哼哼争辩说："但是如果外面也没有奶酪怎么办？或者，即使有奶酪，但你找不到，又怎么办？"

"我不知道。"唧唧不耐烦地说。同样的问题，他已经问过自己多少遍了。他又感到了那种使他停滞不前的恐惧感。

但是马上，他又想到如果真的找到了新的奶酪呢?那种享受新奶酪的喜悦再度鼓起了他的勇气。

他最后问自己："你希望到哪里去找奶酪——这里还是迷宫中?"

于是他的脑中出现了一幅图画，他看见自己面带微笑地在迷宫中探险。

这样的景象让他有些惊异，他发现自己终于克服了再次进入迷宫的恐惧。他看见自己在迷宫中迷了路，但仍然满怀信心地在那里寻找新奶酪，一切美好的事物都随之而来。他又重新找回了自己的勇气。

于是，他尽量发挥自己的想像力，在脑海中为自己描绘了一幅他最信赖的、最具有现实感的图画——他在寻找和品尝新的奶酪。

他仿佛看见自己坐在一大堆奶酪中央，正在尽情品尝各种奶酪，像蜂窝状的瑞士奶酪、鲜黄的英国切达干酪、美国奶酪和意大利干酪，还有美妙又柔软的法国卡米伯特奶酪，等等。

唧唧简直想入了神，直到他听到哼哼在一边嘟囔着什么，他才意识到自己仍然还站在奶酪C站。

于是唧唧转过身来对哼哼说："哼哼，有时候，事情发生了改变，就再也变不回原来的样子了。我们现在遇到的情况就是这样。这就是生活！生活在变化，日子在往前走，我们也应随之改变，而不是在原地踟蹰不前。"

唧唧看着他那因饥饿和沮丧而显得有些憔悴的朋友，试图给他分析一些道理。但是，哼哼的畏惧早已变成了气恼，他什么也听不进去。

唧唧并不想冒犯他的朋友，但是，他还是忍不住要嘲笑他们自己，因为现在看起来他们俩真的是又狼狈又愚蠢。

当唧唧准备要出发的时候，他觉得自己整个人都变得充满了活力，他挺起了胸膛，他的精神开始振作起来："让我们出发吧。"

唧唧大笑着宣称："这是一个迷宫的时代！"

哼哼笑不起来，他几乎没有任何反应。

唧唧拾起一块尖硬的小石头，在墙上写下一句恳切的话，留给哼哼去思考。他没有忘记自己的习惯，在这句话的周围画上奶酪的图案。唧唧希望这幅画能给哼哼带来一丝希望，会对哼哼有所启发，并促使哼哼起身去追寻新的奶酪。但是哼哼根本不想朝墙上看一眼。

墙上的话是：

如果你不改变，
你就会被淘汰。

在墙上留完言后，唧唧伸出脑袋小心翼翼地朝迷宫中望了望，回想着到达奶酪 C 站以前所走过的路线。

他曾经想过，也许迷宫中再也没有奶酪了，或者，他可能永远找不到奶酪。这种悲观的情绪曾经那样深地根植于他的心底，以至于差一点就毁了他。

想到这里，唧唧会心地微笑起来。他知道，哼哼现在一定还在原地懊恼："究竟是谁动了我的奶酪？"而唧唧此刻想的却是："我为什么没有早点行动起来，跟着奶酪移动呢？"

当唧唧终于走出奶酪 C 站踏入黑暗的迷宫时，他忍不住回头看了看这个曾经伴随他和哼哼很长一段时间的地方。那一瞬间他几乎无法控制自己，又想走回那个熟悉的地方，又想躲进那个虽已没有奶酪但很完全的地方。

唧唧又有些担心起来，拿不准自己是否真的想要进入到迷宫中去。片刻以后，他又拿起石块在面前的墙上写下一句话，盯着它看了许久：

如果你无所畏惧，
你会怎样做呢？

他对着这句话苦思冥想。

他知道，有时候，有所畏惧是有好处的。当你害怕不做某些事情会使事情变得越来越糟糕时，恐惧心反而会激起你去采取行动。但是，如果你因为过分害怕而不敢采取任何行动时，恐惧心就会变成前进道路上最大的障碍。

他朝迷宫的右侧瞧了瞧，心中生出了恐惧，因为他从未到过那里面。

然后，他深吸了一口气，朝迷宫的右侧缓步跑去，跑向那片未知的领地。

在探路的时候，唧唧有些担心起来，一开始他还在奶酪C站犹豫了那么久，因为很长时间没有吃到奶酪了，他有些虚弱。现在，在迷宫中穿行要比以前更加吃力，花的时间更长。他打定主意，一旦再有机会，他一定要尽早走出舒适的环境去适应事情的变化。他觉得立刻采取措施会使事情更容易一些。

想到这里，唧唧无力地微笑了一下，感叹道："**迟做总比不做好。**"

接下来的几天里，唧唧在周围偶尔能够找到一点奶酪，但都吃不了多久。他曾经希望能够找到足够多的奶酪，带回去给哼哼，鼓励他离开原地，走进迷宫。

但是，唧唧还是感到有些信心不足。他不得不承认，身在迷宫中，他感到十分困惑。里面很多地方跟以前完全不一样了。

他这样想着朝前走去，他觉得自己已经走了好远，却又好像就要迷失在迂回曲折的走廊中了。这就好像是在走两步退一步，对他来说这真是一种挑战。不过他还是要承认，回到迷宫中寻找奶酪，其实并不像他想像的那样可怕。

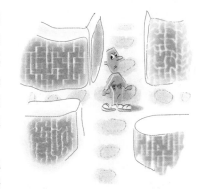

随着时间的流逝，他开始有些怀疑，找到新奶酪的希望是否能变成现实。有种幻觉，有时他怀疑是否自己嘴里的奶酪太多而嚼不过来，这时，想到自己根本没有东西可嚼，他不禁哑然失笑。

每当他开始感到泄气的时候，他就提醒自己正在做什么。尽管现在很难受，但这样总比呆在没有奶酪的地方更实际。他在掌握控制权，而不是听天由命、束手无策。

他还提醒自己，如果嗅嗅和匆匆能不断前行，那么自己也能做到!

后来，唧唧回想起过去的事情，他终于明白奶酪 C 站的奶酪并不是像他曾经相信的那样一夜之间突然消失的。奶酪的数量是逐渐变少，直至完全消失的。而且，剩下的那一点也已经陈旧变质，美味丧失殆尽了。

那些陈旧的奶酪上面或许已经生出了霉菌，只是他没有注意

到罢了。他还得承认，只要他愿意，应该能够注意得到，可惜他当初没有留意这些变化。

唧唧还认识到，如果他一直能够察觉到这些变化而且能够预见到这些变化，那么，这些变化就不会让他感到吃惊。也许，嗅嗅和匆匆一直就是这样做的。

他打定主意，从现在起，他要时刻保持警觉。他要期待着发生变化，而且还要去追寻变化。他应该相信自己的直觉，能够意识到何时发生变化，并且能够做好准备去适应这些变化。

他停下来休息了一会儿，并在迷宫的墙上写道：

经常闻一闻你的奶酪，
　　　你就会知道，
它什么时候开始变质。

　　一段日子以后，好像已经很久没有找到奶酪了。这天，唧唧遇到了一个很大的奶酪站，看起来里面似乎装满了奶酪。当他走进去以后，却发现里面空空如也，他失望至极。

　　"这种空空的感觉，对我来说太平常了。"他叹息道，他觉得自己就快要放弃了。

　　唧唧的体力正在慢慢地丧失。他知道自己迷路了，此刻他有些担心自己能不能活下去。他想转身回到奶酪C站去。回去后，至少哼哼还在那里，唧唧就不会孤单一人了。这时，他又问了自己一个同样的问题："如果我无所畏惧，我又会怎样做呢？"

　　唧唧觉得他正在克服和超越自己的恐惧，但他又越来越经常地感到害怕，害怕得甚至无法对自己承认。他常常难以确定自己到底害怕什么，但是在目前这样虚弱的状况下，他知道，他只是害怕一个人独自前行。唧唧其实并不清楚这一点，他只是在跟着这种感觉走，因为他一直在被这些恐惧的念头压迫着。

　　唧唧想知道哼哼是否已经离开了C站开始出发去寻找新的奶酪，或者是否仍然被自己的恐惧所吓倒，仍旧裹足不前。这时，唧唧想起他在迷宫中度过的时光，那些他曾经觉得是最美好的时光，其实正是他一个人穿行在迷宫中找寻奶酪的时候。

　　他又在墙上写下了一句话，以便提醒自己。同时，这句话也是一个标记，留给他的朋友哼哼，希望哼哼会跟上来。

朝新的方向前进，
你会发现新的奶酪。

　　唧唧朝着黑暗深邃的通道中望去，又有一阵恐惧袭来。前面有些什么？是不是什么都没有？或者更糟，里面潜藏着危险？他开始想像各种可能降临到他头上的可怕的事情。他越想越怕，快把自己吓死了。

　　忽然，他又觉得自己真是可笑。他意识到，他的畏惧只会使事情变得更糟糕。于是，他采取了当他无所畏惧的时候会采取的行动。他朝一个新的方向跑去。

　　当他跑向这条黑暗的走廊时，他笑了起来。唧唧还没有认识到这一点，但他觉得他的灵魂得到了丰富。他正在放开自己，对前景充满了信心，尽管他并不能确切地知道前面究竟有些什么。

　　出乎意料，他开始对自己感到越来越满意。"为什么我感觉这么好？"他不明白："我并没有找到奶酪，而且也不知道要到哪里去。"

　　不久，他就明白了他为什么会感觉这么好。

　　他停下脚步，在墙上写道：

当你超越了
自己的恐惧时，
你就会感到
轻松自在。

他认识到，他原来是被自己的恐惧感给控制住了。如今朝一个新的方向迈进，使他获得了自由。

这时，从迷宫中吹来习习的凉风，使人感到神清气爽。他深吸了一口气，不觉振作起来。一旦克服了自己的恐惧感，他觉得一切比原来自己想像的要好得多。

唧唧已经很久没有这种感觉了。他几乎就快要忘记了这种感觉是多么的惬意。

为了使事情更顺利地进行，他又开始在头脑中描绘一种景象。想像中，他在一种很棒的现实环境，坐在各种他喜欢的奶酪中间——有切达奶酪还有布里奶酪！他看见自己在吃许多他喜欢吃的奶酪。这样的景象使他获得一种享受，他想像着这些奶酪的滋味该是多么美啊！

这种享受新奶酪的情景，他看得越清楚，就越相信这会变成现实。现在，他有一种感觉，他就快要找到奶酪了。

他又在墙上写道：

在我发现奶酪之前，
想像我正在享受奶酪，
这会帮我找到新的奶酪。

唧唧一直在想的是他将会得到什么，而不是考虑他会失去什么。

他不明白，为什么自己过去总是觉得变化会使事情变得更糟。而现在他认识到，变化将会使事情变得更好。

"为什么以前我不明白这一点？"他反问自己。

于是，他以更大的勇气和力量快速灵敏地穿行在迷宫中。不久，他就发现了一个奶酪站。当他在迷宫的入口处发现一些新奶酪的碎屑时，他变得兴奋起来。

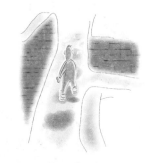

这是一些他从未见过的奶酪，但看起来挺不错。他尝了尝，真是美味啊！他吃掉了大部分能找到的小块奶酪，把剩下的放进口袋，以后也许可以和哼哼分享。他的体力也开始得到恢复。

他怀着兴奋的心情走进去。但是，让他感到惊愕的是，里面竟然是空的。有人已经来过这里，只留下了一些零星的小块奶酪。

他认识到，如果能早一点行动，他就很有可能早已在这里发现大量的新奶酪了。

唧唧决定回去，看看哼哼是否愿意和他一起行动。

在返回的路上，他停下来，在墙上写道：

越早放弃旧的奶酪，
你就会越早发现
新的奶酪。

不久，唧唧就回到了奶酪 C 站，找到了哼哼。他给哼哼一些新的小块奶酪，但被拒绝了。

哼哼很感激朋友的心意，但是他说："我不喜欢新奶酪，这不是我习惯吃的那一种。我只要我自己的奶酪回来。除非可以得到我想要的东西，否则我是不会改变主意的。"

唧唧失望地摇了摇头，不情愿地一个人踏上了自己的旅程。当走到他到达过的迷宫最深处时，他怀念起他的朋友来，但他明白，他喜欢的还是他的探险过程。虽然以前他想自己希望的是得到充足的新奶酪，但现在他清楚使自己快乐的并不仅仅是奶酪而已。

他高兴的是，他不再受自己的恐惧感的驱使。他喜欢自己正在做的事情。

明白了这一点，唧唧不再像在奶酪 C 站时，在没有奶酪的日子里感到那样虚弱了。他知道，他不会再让恐惧感阻碍自己。他选择了一个新的方向，他的身心得到了滋养，体力得到加强。

现在，他觉得，找到自己想要的东西只是一个时间问题。事实上，他感到他已经找到了他一直在寻找的东西。

当他认识到这一点的时候，他不禁微笑起来，并在墙上写道：

在迷宫中搜寻
比停留在
没有奶酪的地方更安全。

　　唧唧还认识到，就像他曾经体会过的那样，你所害怕的东西根本没有你想像的那样糟糕，在你心里形成的恐惧比你的实际处境要更坏。他曾经是如此害怕找不到新的奶酪，以至于他根本不想开始去寻找。然而一旦开始寻找的旅程，他就发现迷宫的走廊中有足够的奶酪使他继续找下去。现在，他期待着找到更多的奶酪。只要朝前看，他就会因为有所期待而兴奋起来。

　　他过去的思想被恐惧和忧虑蒙蔽了。过去考虑的总是没有奶酪，或者没有可以维持足够长时间的奶酪。以前总是觉得会把事情做错，而不是考虑把事情做好。

　　在他离开奶酪 C 站以后的日子里，一切都改变了。

　　过去他习惯于认为，奶酪绝不会被拿走，改变总是不对的。

　　现在，他知道，变化会不断地发生，这是很自然的事情，不管你是否希望如此。只有当你不希望变化，也不想追寻变化的时候，变化才会让你感到吃惊。

　　当唧唧认识到自己的信念发生了改变时，他停下来，在墙上写道：

陈旧的信念
不会帮助你
找到新的奶酪。

　　唧唧还没有找到奶酪，但在迷宫中穿行的时候，唧唧在想自己从中学到了什么。

　　他意识到，他的新的信念鼓舞着他采取新的行动。他的行为再不同于以往，再也不是总要回到同一个没有奶酪的地方。

　　他知道，当你改变了自己的信念，你也就改变了自己的行为。

　　你可以相信，变化对你有害，你可以拒绝它；或者，你会相信寻找新奶酪对你有好处，你会拥抱这种变化。

　　这些都取决于你选择相信什么。

　　他在墙上写道：

当你发现

你会找到新的奶酪

并且能够享用它时,

你就会改变你的路线。

　　唧唧知道，如果他能够早一些离开奶酪 C 站，早一点应对这些变化，他现在的状况就会更好一些。他的身体会更强壮，精神也会更坚强，会更好地去迎接挑战——寻找新奶酪的挑战。事实上，如果他不是浪费时间，否认已经发生了的变化，如果他能够期待改变，也许他已经找到奶酪了。

　　他再一次运用自己的想像力，看见自己正在发现和品尝新奶酪。他决定到更多的地方去，去迷宫中那些他还没有到过的地方。在这些地方，他偶尔找到一些小块的奶酪。唧唧又开始恢复了体力和信心。

　　当他回顾自己是怎么走过来的时候，他很高兴他在很多经过的地方的墙上都留下了字迹。他相信如果哼哼决定离开奶酪 C 站的话，这就是留给哼哼的路标，能帮助哼哼穿过迷宫。

　　唧唧只是希望自己在朝着正确的方向前进。他还想到了这种可能性——哼哼将会读到墙上的字迹，并且循着它找到出路。

　　于是他又把这段时间以来他一直在思索着的心得写在了墙上：

尽早注意细小的变化，
这将有助于你
适应即将来临的更大的变化。

此时此刻，唧唧早已把过去抛在脑后，正在适应现在。

他继续以更充沛的体力和更快的速度穿越迷宫。不久，期待已久的事情终于发生了。

当他感觉一直在迷宫中前行，而且好像永远都会在迷宫中前行的时候，他的旅程——至少是现阶段的旅程——即将愉快地结束了。

唧唧正沿着一条走廊前进，这是一条他从未到过的走廊，拐过一个弯，在他的面前出现了奶酪 N 站，这里堆满了新鲜的奶酪！

当他走进奶酪 N 站的时候，他被眼前的景象惊呆了。到处都是堆积如山的奶酪，他从未见过如此巨大的丰盛的贮藏。他并不完全认识这些奶酪，有些品种是全新的。

眼前的景象太壮观了，他犹豫了一会儿，不能肯定这是否是真的，或许这只是他的幻觉。直到他看见了他的老朋友——嗅嗅和匆匆，他才相信这一切是真的。

嗅嗅冲唧唧点了点头，表示欢迎，匆匆则朝他挥了挥爪子。他们胖胖的小肚子表明，他们在这里已经有一段时间了。

唧唧很快向他们打了招呼，然后赶紧把他喜欢的各种奶酪都咬了一口。他脱掉鞋子，把两只鞋子系在一起，然后挂在脖子上，以便需要的时候能够迅速找到它们。嗅嗅和匆匆会心地笑了，并且赞许地点了点头。而唧唧已经一头扎进了奶酪堆中。一顿饱餐之后，唧唧高兴地举起一块新鲜的奶酪欢呼："呼啦，变

化万岁！"

唧唧享受新奶酪的同时，也在反思自己学到了什么。

他认识到，当他害怕变化的时候，他一直受困于对那已不复存在的旧奶酪的幻想而无法自拔。

那又是什么使他发生了改变呢？难道是害怕饿死的恐惧？想到这里，唧唧笑了，他心里明白，这种恐惧当然起过很大的作用。

唧唧忽然发现，他已经学会自嘲了，而当人们学会自嘲，能够嘲笑自己的愚蠢和所做的错事时，他就在开始改变了。他甚至觉得，改变自己的最快捷的方式，就是坦然嘲笑自己的愚笨——这样，你就能对过往云烟轻松释然，迅速行动起来，直面变化。

唧唧相信他从他的老鼠朋友嗅嗅和匆匆那里，学到了一些有用的东西——不畏惧改变，勇往直前。老鼠朋友们简单地对待生活，他们不会反复分析，也不会把事情搞得很复杂。当形势发生改变，奶酪被移走了的时候，他们会迅速随之改变，循着奶酪的移动方向而移动。唧唧告诉自己，要牢记这些体会。

唧唧相信拥有了这些体会，凭借自己聪慧的头脑，再遇到任何变化时他一定能做得比老鼠朋友们更好。

他的头脑里出现了清晰的图画，他的生活将会变得更美好，而且他还会在迷宫中发现一些更好的东西。

唧唧不断地反思自己过去犯下的错误，他要汲取这些经验教训，去构划自己的未来。他知道，自己完全可以通过总结和学

习，掌握如何应对变化：

首先要更清醒地认识到，有时需要简单地看待问题，以及灵敏快速地行动。

你不必把事情过分复杂化，或者一味地让那些惊恐的念头使自己感到慌乱。

其次必须要善于发现一开始发生的那些细微的变化，以便你为即将来临的更大的变化做好准备。

他知道，他需要做出更快的调整。因为，如果不能及时调整自己，就可能永远找不到属于自己的奶酪。

还有一点必须承认，那就是阻止你发生改变的最大的制约因素就是你自己。只有自己发生了改变，事情才会开始好转。

最重要的是，新奶酪始终总是存在于某个地方，不管你是否已经意识到了它的存在。只有当你克服了自己的恐惧念头，并且勇于走出久已习惯的生活，去享受冒险带来的喜悦的时候，你才会得到新奶酪带给你的报偿和奖赏。

唧唧还认识到，有些畏惧是需要加以认真对待的，它会帮助你避开真正的危险。但绝大部分的恐惧都是不明智的，它们只会在你需要改变的时候，使你回避这种改变。

唧唧曾经那样地惧怕改变，他真的希望生活能够永远按照原有的样子继续，但现在他意识到，生活并不会遵从某个人的愿望

发展。改变随时有可能降临，但积极地面对改变却会让你发现更好的奶酪，真的是塞翁失马，焉知非福。

唧唧已经看到了变化更好的一面。

当他回想起这些自己所学到的东西时，他不由得想起了他的朋友哼哼。他不知道哼哼是否读到了那些他在奶酪 C 站和迷宫各个角落墙上的留言，不知道哼哼是否已经走出了迷宫。

哼哼是否已经决定放开已经失去的过去并开始行动？他是否已经重新回到迷宫中，并且发现了能使他的生活变得更好的东西？

或者，他因为不肯改变，还在那里迟疑不前？

唧唧在考虑回到奶酪 C 站去，看是否能找到哼哼——但首先得肯定自己能找到回来的路。如果找到了哼哼，他会把自己学到的东西告诉他，帮助他摆脱困境。但唧唧又想起他已经试图改变过他的失败经历。

哼哼必须自己发现适合自己的道路，摆脱安逸，超越恐惧。没有人可以代替他做到这一点，或者告诉他应该怎样去做。他必须迈出第一步，否则他永远不会看到改变自己所带来的好处。

唧唧知道自己已经给哼哼留下了足够的标记，只要他能够迈出第一步，读到墙上的字迹，他就会找到出路。

于是唧唧打消了回 C 站的念头，他站起来走到奶酪 N 站最大的一面墙前，把他一路上得到的心得体会的要点写了下来。他拿起一块很大的奶酪，这是他见过的奶酪中最大的一块。唧唧品尝着新鲜的奶酪，望着自己写下的体会，脸上绽出了微笑：

奶酪墙上的话

变化总是在发生

他们总是不断地拿走你的奶酪。

预见变化

随时做好奶酪被拿走的准备。

追踪变化

经常闻一闻你的奶酪,
以便知道它们什么时候开始变质。

尽快适应变化

越早放弃旧的奶酪,
你就会越早享用到新的奶酪。

改　变

随着奶酪的变化而变化。

享受变化!

尝试冒险,去享受新奶酪的美味!

做好迅速变化的准备
不断地去享受变化

记住:他们仍会不断地拿走你的奶酪。

　　唧唧在想，自从他在奶酪 C 站和哼哼分道扬镳以来已经有多久了。他知道自己前进了一大步，但他也很清楚，如果他过分沉溺于 N 区的安逸生活之中，他就会很快滑落到原来的困境。所以，他每天都仔细检查奶酪 N 站的情况。他在做一切力所能及的事情，以尽量避免被意料之外的变化打个措手不及。

　　当他还有大量的奶酪贮备时，他就开始经常到外面的迷宫中去，探索新的领地，以便使自己与周围发生的变化随时保持联系。现在的他非常明白，了解各种实际的选择，要比呆在舒适的环境里把自己孤立起来安全得多。

　　"窸窸窣窣"，他听到了什么，唧唧竖起耳朵听了听，他觉得是从迷宫里传来的走动的声音。这声音渐渐大起来，他知道有人正向着这边跑来。

　　会是哼哼到了吗？他会循着那个弯转过来吗？

　　唧唧念了几句祈祷语，他真的希望——像他以前曾多次希望的那样——也许，他的朋友终于能够……

随着奶酪的变化而变化，
并享受变化！

结局……
或者是新的开始？

讨　　论

同一天傍晚，故事讲完以后的讨论

迈克尔讲完他的故事以后，环顾四周，发现他的老同学们都在微笑着倾听。

有几个人站起身来向他表示感谢，说他们从故事中得到了很多启发。

内森问大家："一会儿我们聚在一起讨论一下这个故事，你们觉得怎样？"

大多数人都表示他们的确很想谈一谈自己的感受。于是，他们决定先去喝点东西，再吃晚餐，然后一起讨论这个故事。

当天晚上，他们聚集在饭店的房间里，相互开着玩笑说，看见他们自己在迷宫中寻找各自的"奶酪"。

安杰拉要大家安静下来，并询问道："你们觉得自己是这故事中的谁？嗅嗅和匆匆，还是哼哼或唧唧？"

卡洛斯第一个回答说："呃，整个下午，我都在考虑这个问题。我清楚地记得，有一段时间，在我开始我的运动器材生意之前，我曾遇到过一次突如其来的改变。"

"我不是嗅嗅——我没能及早嗅出潜在的危机并看出已经发生的变化。我也不像匆匆——因为我没有立即投入行动。"

"我想我更像是哼哼，当时我只愿意呆在自己熟悉的领域。事实上，我根本不想去应对改变，我甚至不想看到变化。"

迈克尔和卡洛斯在学校时是好朋友，现在还是像从前一样亲密，他不解地问道："兄弟，你所说的那个突然的改变究竟是怎

么回事？"

卡洛斯说："那是工作上的一个意想不到的变化。"

迈克尔笑了起来："你被开除了？"

"噢，还不如说，我只是从来不曾想过要去寻找新的奶酪。我曾经想到很多理由，总觉得变化不应该发生在我身上。老实说，那段时间，我感到非常沮丧。"

刚开始的时候，有几位同学一直没有参加讨论，现在听了迈克尔的话也都开始了议论。首先是已经应征入伍的弗兰克。

"哼哼使我想起了我的一位朋友，"他说："所有迹象显示他所在的部门将被裁撤，但他不肯面对这个现实。公司为所有人做了重新安排。我们都试图劝说他，只要愿意改变，公司里还有很多其他的机会，但他始终觉得自己没有必要改变。当他所在的部门最终关闭时，他是惟一惊讶得不知所措的人。现在，他正在做出艰难的调整，以适应他认为不该发生的变化。"

杰西卡说："我也一向认为这种事情不会发生在我身上，但我的奶酪的确已经不止一次地被拿走了，尤其是在我的个人生活中。但最后我总能找到我的奶酪。"

除了内森以外，大家都笑了。

"也许，这就是关键之处，"内森说："变化发生在我们每一个人身上。"

他补充道："我真希望我的家人以前就听到过这个故事。不幸的是，我们每一个人都不愿意面对发生在我们家族企业中的变化。现在为时已晚——我们不得不关闭我们的许多家店铺了。"

内森的话让很多人吃了一惊，因为大家一向都很羡慕内森的幸运，认为他可以躺在自己的家族企业中，年复一年地依靠它。

"发生了什么事？"杰西卡急于问个究竟。

"当超级商场进入小镇时，我们的小型连锁店突然间显得过时了。他们有大量丰富且价格低廉的商品，我们完全无法与之竞争。"

"现在我终于明白了，这一切后果归咎于我的家人都不是嗅嗅和匆匆，我们就像哼哼。我们呆在原来的地方固步自封，拒绝改变；我们故意忽略外面的世界，企图对发生的一切视而不见。现在我们陷入了麻烦，这一切只是因为我们不愿意嘲讽自己，不愿意改变所做的一切。我们真应该从唧唧身上学到些什么。"

劳拉已经是一位很成功的商人，到现在为止，她很少说话，一直在聆听。"这个下午，我也一直在思考这个故事，"这时她说："我不知道自己要怎样做才能更像唧唧，才能够看到自己的错误，坦然面对自己，改变自己，并将一切做得更好。"

沉默了一会儿，她继续说："我想知道，我们这里有多少人害怕改变？"见没有人回答。于是她又提议："请举手示意。"

只有一个人举了手。"很好，看起来，我们之中总算还有一个诚实的人！"她说，并继续道："也许你们更愿意回答下一个问题。有多少人认为别人害怕改变？"这一次几乎每个人都举了手。见此情景，大伙都大笑起来。

"刚才的现象说明了什么？"

"我们都拒绝承认自己害怕改变。"内森回答。

"确实是这样，"迈克尔表示赞同，"有时候，连我们自己也没有意识到我们在害怕，或者说我们在努力想掩盖自己的恐惧。我知道我就是如此。当我第一次听到这个故事的时候，我就非常喜欢这句话，'当你无所畏惧时，你会怎样？'"

杰西卡接口道："我从这个故事中得到的启示是，变化无时无处不在发生，无论我们是害怕改变还是喜欢改变，但如果我们能尽快调整自己适应变化，我们应该可以做得更好。"

"我还记得几年前我们公司发生的的事情。当时我们正在销售一套百科全书，全套书有二十多本。有个人想要说服我们，他告诉我们应该把整套百科全书做成一张计算机光盘，只卖现在价格的零头。这样做，既可以及时更新，又可以使生产费用大为减少，而且将有更多的人买得起并可以使用上它。但是当时我们拒绝了这个建议。"

"你们为什么要拒绝呢？"内森问道。

"因为当时我们确信，我们企业的主力，是我们挨家挨户地推销的庞大销售队伍，我们的高价产品使我们的销售人员可以获得高额佣金从而更加卖力气地工作。长期以来，我们一直都这样做并且做得很成功，我们都认为这种方式还会继续有效。"

劳拉说："也许这就是故事里所要表明的，哼哼和唧唧由于成功而形成的傲慢。他们从来没有想过，他们需要改变那些曾经是有效的东西。"

"这方法就是你们的奶酪!"内森说:"并且你们认为这块旧奶酪是你们惟一的奶酪。"

"的确如此,我们甚至想依靠这种方法直到永远。"

"当我回过头去想发生的事情时,我发现,奶酪不仅仅会被移走。奶酪也有自己的生命,终究有被吃完的一天。"

"结果怎么样呢?"劳拉问。

"我们没有变。一个竞争者却做了改变,所以我们的生意一落千丈,一直到现在我们都很艰难。如今,在这个产业领域里技术上已经发生了很大的变化,但我们公司里却没有一个人想去应对这种变化。这看起来很不妙,我想我快要失业了。"

"这真是一个迷宫的时代!"卡洛斯忽然叫道。大家都笑了起来,杰西卡也笑了。

卡洛斯转向杰西卡说道:"你已经可以坦然地嘲笑你自己了,这很好啊。"

弗兰克附和说:"这也是我从故事中得到的体会,我们常常过于认真地看待自己。我注意到在故事里,当唧唧终于能够坦然嘲笑自己错误的过去时,他得到了应对变化的方法。关键就在于要敢于否定自己,勇敢地嘲讽自己做的傻事,难怪他的名字要叫作唧唧。"

大家都模仿这个词,发出哼哼唧唧的声音。

安杰拉问大家:"你们认为哼哼是否会改变,是否能够找到

77

新的奶酪？"

依莱恩说："我想他会的。"

"我认为不会，"柯瑞说："有的人绝对不肯改变，并为此付出了代价。在我行医的时候，我见过像哼哼这样的人。他们觉得他们天生具备拥有自己的奶酪的资格和权利，当奶酪被拿走以后，他们觉得自己是受害者并为此而指责别人，抱怨能够抱怨的一切。他们比那些最终能够放开自己去行动的人要病得厉害得多。"

这时，内森轻轻地、好像自言自语般地说道："我觉得，真正的问题是，'我们需要放弃什么，以及应该朝哪里行动？'"

好一会儿，大家都不说话。

"我必须承认，"内森又说："当我看到其他地方的商业经营运作方式正在改变时，我完全有时间有能力改变自己去应对这种变化，然而我们当时只是一厢情愿地认为这种变化不会影响到我们。所以我认为，率先变化比对变化做出反应和调整要强得多。也许，我们应该做的就是移走我们自己的奶酪。"

"你的意思是……"弗兰克问。

内森回答说："我不禁在想，如果当初我们卖掉我们商店的不动产，建立一个大型的现代化商场去与那些超级商场竞争，结果又会是怎样？"

劳拉说："也许这就是唧唧写在墙上的意思'尝试冒险，与奶酪一起变动'。"

弗兰克说："我现在认识到，如果我很早就随着我的'奶酪'移动，我会好得多。但我觉得有些东西是应该保持不变的，例如，我们的基本价值观。"

"噢，迈克尔，这真是一个有意义的小故事。"理查德说，他是班上的怀疑论者，"但是，我们究竟应该怎样把它实际运用到我们的生活中去呢？"

大家都不知道，但理查德自己的生活正在经历某些变化。最近，他和妻子离婚了，因此他既要做好工作又要照顾好十几岁的孩子。

迈克尔回答说："你知道吗？以前我的工作就是处理每天正在发生的问题。现在我发现实际上我应该做的是，朝前看，把注意力放在我们公司发展的大方向上，而不是不断地应付眼前的小事。"

"我整个人都投入到处理这些枝节问题中去了——一天二十四小时，感受不到任何乐趣。我陷入老鼠赛跑的圈子，无法跑出来。"

"所以，你总是为琐事纠缠无暇喘息，而其实你更应该抽身出来，主动支配时间。"劳拉说。

"确实如此。"迈克尔说："后来，当我听到'谁动了我的奶酪'的故事后，我认识到我的工作应该是描绘一幅'新奶酪'的图景——公司全体员工都希望追寻'新奶酪'，然后将这新奶酪清晰、真实地呈现在所有员工的面前。这样，我们才会享受

到变化和成功的喜悦，不论是在工作中还是在生活中。"

内森问道："你在工作中是怎样去做的？"

"喔，我问我们公司里的人，他们是故事中的谁，发现我们公司中这四种角色都有。我看到了嗅嗅、匆匆、哼哼和唧唧，每一种角色都需要区别对待。"

"我们的嗅嗅能够敏锐地嗅出市场的变化，以便我们能够及时调整公司的战略。公司鼓励他们去识别哪些变化会影响到顾客对新产品和服务的需求。嗅嗅们喜欢这项工作，他们告诉我，他们喜欢在这样的环境中工作，在这里他们能够识别变化并及时做出调整。"

"我们的匆匆喜欢做事，在公司的新战略中，他们被鼓励去采取行动。他们只需要稍加引导，以免跑错了方向。公司获得了新奶酪，这应归功于他们的行动。他们喜欢在这样的公司里工作，在这里能够体现行动的结果和价值。"

"那么，哼哼们和唧唧们又怎样呢？"安杰拉问道。

"不幸的是，哼哼们就像是船锚想使我们停下来，"迈克尔说："他们或者是太在意享受眼前的安逸，或者是过分害怕改变。不过当我向他们展示了具体的景象，并说明变化将会带来的好处时，有些哼哼最终改变了。"

"我们的哼哼们说，他们想要在一个安全的环境下工作，所以，变化应在他们所能接受的范围内并增加安全感。然而当我让他们认识到僵化不变的可怕时，其中有些人发生了改变，而且干得不错。这种景象使许多的哼哼变成了唧唧。"

"对那些没有改变的哼哼，你们怎么办呢？"弗兰克问道。

"我们不得不让他们走人。"迈克尔黯然答道："我们希望留下所有的员工，但我们清楚，我们必须要迅速而充分地改变，否则我们全体都会陷入麻烦之中。"

他又说："我们的唧唧们起初还有些犹豫，值得欣慰的是，他们思想开放，乐于去学习新的东西，及时调整并付诸实施，从而使我们获得成功。"

"他们甚至开始期待变化而且积极地寻求变化。他们了解大家究竟想要什么，和我们一起描绘出一幅实际可行的新奶酪的美景图，让所有的人充满期待并积极行动起来。"

"他们说他们希望在这样的组织中工作，能够给人自信和变化的工具。在我们追随新奶酪的过程中，他们还给我们带来了许多迎接挑战的乐趣。"

理查德揶揄道："没想到你从一个小故事中得到了这么多东西？"

迈克尔笑了："因为我并没有仅仅停留在听故事的层面上，而是从中找到了我想要的东西，并且采取了行动。"

安杰拉点头表示同意："这做法真的很有趣。因为在我看来，这故事中最有影响力的部分就是，当唧唧勇敢地嘲笑自己的畏惧，开始在头脑中描绘一幅自己在享受新奶酪的情景，然后充满信心和喜悦地走进迷宫，追寻新的奶酪，并最终获得了成功。

我想这也是我常常想要做的事情。"

弗兰克笑了一下："所以，甚至哼哼有时也能看到变化的好处。"

卡洛斯笑起来："比如说保持工作的好处。"

安杰拉补充说："甚至还有得到提拔的好处。"

理查德一直皱着眉头若有所思。这时他说："我的上司一直在告诉我，公司需要有所改变。我想她实际上是想告诉我应该做出某些改变，但我实在不想听到这些。我觉得自己真的不知道，她想让我们去找的'新奶酪'是什么，或者，我能从那新奶酪中得到些什么。"

说到这里，一丝微笑掠过他的脸庞："听了这个故事我必须承认，我开始喜欢这个想法，看见新奶酪并想像自己正在享用它。这种想法能使每件事都变得更有希望。当你想到变化能使事情变得更好时，你就会有很大的兴趣去促成变化的发生。"

"也许我应该把这些观念和方法运用到我的个人生活中去，"他补充说："我的孩子们觉得他们的生活不应该改变。我看他们也有点像哼哼——当事情发生改变时，他们会愤怒。因为他们不知道改变后会怎么样。这也许是我没有给他们描绘出一幅'新奶酪'的美景的缘故。或许因为连我自己都害怕变化，连我自己都没有看到那'新奶酪'的美景吧？"

听了这番话，所有人都想到了自己的生活，大家安静下来。

"呃，"杰西卡清了清嗓子，打破了宁静，"大家好像都在谈论自己的工作，但是我听到这个故事以后，却想到了我的个人生活。我觉得我目前的情况，我的家庭关系，就像一个'旧奶酪'，上面长满了霉菌。"

柯瑞笑出声来，表示赞同："我也是。也许我现在最该采取行动的就是让一段不愉快的关系尽快过去。"

安杰拉反驳道："我不同意你的观点，也许这个'旧奶酪'只是一种旧的行为方式。我们需要放弃的只是引起这种状况的旧的行为方式，而不是这个'奶酪'。这样我们才会朝更好的思维和行为方式转变。"

"对呀！"柯瑞受到启发，"好观点。新奶酪就是用新的积极的行为方式与一个人建立新关系。"

理查德说："我在想，也许这个故事还有更多有建设性的启发等待我们挖掘。我同意安杰拉的观点——需要放弃的是旧的行为方式而不是关系本身。一成不变的行为方式还是会导致同样的结果。"

"就工作而言，或许我应该成为帮助公司进行改变的人之一，而不是因为害怕公司的改变而辞去工作。如果早这么想、这么做的话，我现在也许就会有一个更好的职位了。"

贝基生活在另一个城市，这次特意赶来参加同学聚会。这时她说："当我在听这个故事，以及听到大家的讨论时，我真的禁不住要讥笑我自己。许久以来，我一直像哼哼那样，害怕改变，凡事迟疑犹豫，拒绝改变，为此我不知道丢掉了多少美味的奶

酪。我不知道其他人怎样，我恐怕已经在不知不觉中，把这种哼哼式的思想传给了我的孩子们。"

"当我反复思考这个问题和身边的一些人和事后，我在想或许变化真的能把你带到一个崭新的、更好的地方，尽管当时你担心事情的变化将并非如此。"

"我记得有一段时间，在我儿子上中学二年级的时候。因为我先生工作的需要，我们必须从伊利诺伊搬到佛蒙特去，儿子为此很难过，因为他不得不离开他的朋友们了。他是学校里的游泳明星，但在佛蒙特的高中里却没有游泳队。因此，他对我们即将面临的变化感到很生气。"

"然而后来的情况是，他疯狂地迷上了佛蒙特的山区，开始学习滑雪，并参加了大学里的滑雪队和登山队。现在，他有了更多的新伙伴，他愉快地生活在科罗拉多。"

"如果当初面对改变时，我们全家能端上一杯热巧克力，一起享受这个故事的乐趣，或许我们家庭中的许多无谓的压力和紧张气氛早就烟消云散了。"

杰西卡赶忙说，"没错，我回去后，要把这个故事和全家分享。我还要问我的孩子们，我像故事中的谁——嗅嗅、匆匆，还是哼哼和唧唧——他们又觉得自己像谁。我们还要讨论，我们家的'旧奶酪'是什么，'新奶酪'又应该是什么。"

"这的确是个好主意!"理查德大声赞同，把大家吓了一跳，连他自己都奇怪怎么会这么大声。

弗兰克也受到了快乐情绪的感染，喜悦之情溢于言表："我觉得自己越来越像唧唧，我已经做好准备随着奶酪的移动而移动，并且能够从中得到快乐！我也要把这个故事讲给我军中的朋友们，他们正担心离开部队后生活的变化。这一定会引起一场有趣的讨论。"

　　迈克尔接着说："对，这也是我们当初改进我们企业的方法。我们搞过几场讨论，讨论我们从故事中学到了什么，以及如何把它们运用到我们的实际工作中去。"

　　"这很重要。因为我们有了轻松的、共同的语言，用来谈论怎样应对变化，包括公司的和个人生活的。这方法非常有效，它已经深深地渗入到我们公司的各个方面。"

　　内森问道："'深深地'是什么意思？"

　　"喔，是这样的，我们发现，越是组织的内层，就越缺乏活力。可以理解，他们比外层人员更加害怕改变，害怕上面强加给他们的改变会发生在他们身上。所以，他们拒绝改变。"

　　"简言之，强加的改变是最易遭到反抗及阻力的改变。"

　　"当'奶酪的故事'以书面的形式在我们机构中分发出去以后，它改变了大家看待变化的态度。对于自己过去的畏惧，每个人都笑起来，至少是微笑了。每一个人都开始主动地考虑'改变'这个题目。"

　　"但我要是能够早点听到'奶酪'的故事并把它用于公司讨论就好了！"迈克尔加了一句。

"为什么？"卡洛斯不理解地问。

"因为当我们开始向变化靠拢的时候，我们的企业已经一团糟了。生意一落千丈，我们不得不解雇一些员工，正如我前面提到的，甚至包括一些好朋友。这对我们大家来说都是一件痛苦的事情。惟一值得欣慰的是，所有留下来的和大多数离去的人都说，奶酪的故事使他们改变了看问题的方式，使他们能够更好地对付各种局面。"

"那些离开公司，出去找新工作的人说，开始时确实很艰难，但是，每每回想起这个故事，就会得到极大的帮助。"

安杰拉问道："对他们最大的帮助是什么？"

迈克尔回答："他们告诉我，超越自己的恐惧的最大好处是，他们认识到外面到处有新奶酪等着被发现，只要他们愿意去寻找。"

"他们说，头脑中存有一幅新奶酪的景像——看见自己在新的工作中干得很好——会使他们的感觉好一些。尤其是使他们在面试的时候表现得更为出色。有些人还因此得到了比原来更好的工作。"

劳拉问："那些留在公司里的人又怎么样了呢？"

"噢，"迈克尔说："人们不再抱怨市场环境正在发生的种种变化。他们说'既然我们的旧奶酪已经不见了，那么让我们去找新的奶酪吧。'这省去了公司许多的协调时间，也减少了公司内部的紧张感和压力。"

　　"不久前还完全拒绝变化的人，如今也透过这个小故事看到了变化的好处。他们越来越喜欢变化，并且积极创造有利于公司发展的变化。"

　　柯瑞说："是什么使得他们改变了呢？"

　　"我认为这和公司里面存在的同事之间的相互影响力有关系，"迈克尔答道："如果这种影响力改变了，人们就会跟着发生改变。"

　　"大家可以回想一下，在你呆过的机构里面，当上级宣布一项改变时，大多数人会有什么反应？大多数人会说这改变是一个好主意还是一个坏主意？"

　　"一个坏主意。"弗兰克答道。

　　"没错。"迈克尔表示同意，又接着问道："为什么会这样呢？"

　　卡洛斯说："我想是因为大多数人都喜欢稳定和有安全感，他们觉得改变会带给自己麻烦甚至有可能对自己不利。当有一个人说这种改变是一个坏主意时，其他人通常会随声附和。"

　　"的确如此，但这些随声附和的人在心里也许并不真的这样认为。"迈克尔说："只是他们为了看起来和最先提议反对的那个人一样聪明以及显得合群，就会随声附和。这就是我所说的同事之间的相互影响力。这种影响力通常会阻碍机构中发生的变化。"

　　贝基问道："那么当人们听到奶酪的故事以后，情况又怎么

样了？"

迈克尔耸了耸肩膀，轻松地说："情况是同事之间的相互影响力改变了，因为大家都不希望自己被别人叫作哼哼！"

大家听了都哈哈大笑了起来。

"他们都想提前嗅出变化的味道，并且赶快投入行动，而不再是落在后头哼哼不停。"

内森说："这是一个好点子。我想我们家的人也都不愿做哼哼，他们很可能也会因为这个故事而改变。上一次同学聚会时，你为什么没有告诉我们这个故事？要不然，它早就起作用了。"

"它确实有用。"迈克尔说。

"而且非常有用！尤其是当你的机构中的每个人都知道它时——不管是大公司，还是小企业，或者是你的家庭——因为，只有当其中的多数人的心态发生改变以后，一个组织才会发生变化。"

最后，迈克尔又给大家介绍了一个经验："当这个故事对我的公司起作用以后，我们便把这故事告诉给那些我们希望能和他们在生意上有所合作的人，因为我们知道任何一个公司都正面临着变化和选择。我们提议说，也许我们公司就是他们正在找寻的'新奶酪'，也就是说，我们可能就是能让他们的生意更成功的合作伙伴。这方法的确为我们带来了许多新的机会和生意。"

这番话使杰西卡受到启发，她想起明天上午要谈的几笔业务。她赶紧看了看时间，说："喔，时间到了，该是我离开这个奶酪站，去寻找新的奶酪的时候了"。

　　大家都会心地笑了起来，然后站起身来互道晚安。尽管许多人觉得兴犹未尽，还想继续聊这个话题，但时间的确已经不早了。分手的时候，他们再一次感谢迈克尔。

　　迈克尔说："我非常高兴你们觉得这个故事对你们有所帮助，我也衷心希望你们有机会尽快与别人分享这个故事。"

作者简介

斯宾塞·约翰逊，医学博士。他是享誉全球、深孚众望的思想先锋、演说家和作家。他的许多观点，使成千上万的人发现了许多生活中的简单真理，使他们的生活更健康、更成功、更轻松。

面对复杂的问题提出简单有效的解决办法，在这方面，他被认为是最好的专家。

他是许多最畅销书的著作者或合著者。他的《谁动了我的奶酪？》，是如何应对变化的极好方法。他与传奇式的管理咨询专家肯尼斯·布兰查德博士合著的《一分钟经理人》一书，持续出现在畅销书排行榜上，并且成为世界上最受欢迎的管理方法之一。

他还写了许多其他的畅销书，包括《珍贵的礼物》——成了备受钟爱的礼物；《是或不》——成了人们的决策指南；《道德故事》——成了最受欢迎的儿童德育读物；还有"一分钟系列"

里的其他五本书：《一分钟销售》、《一分钟母亲》、《一分钟父亲》、《一分钟老师》和《一分钟的你自己》。

他所受的教育及工作经历包括：南加州大学心理学学士、皇家医学院医学博士、哈佛大学医学院及 Mayo 诊所的医生。

约翰逊博士是 Medtronic 交流（研究）机构的医学指导，是心脏起搏器的发明人；他还是"跨学科研究机构"——一个思想库中的医学研究人员，以及加州大学医学院人格研究中心的顾问。

他的书成为许多媒体特别介绍的对象，这些媒体包括：CNN、《今日表演》、金赖瑞现场、《时代杂志》、《商业周刊》、《纽约时报》、《华尔街日报》、《今日美国》、联合出版社和联合国际社。

斯宾塞·约翰逊博士的书已经被译成 26 种语言，在世界范围内广泛传播，并深受欢迎。

图书在版编目(CIP)数据

谁动了我的奶酪／(美)约翰逊(Johnson, S.) 著；吴立俊译．—北京：中信出版社，2001.9
书名原文：who moved my cheese?
ISBN 7-80073-366-1

Ⅰ.谁... Ⅱ.①约...②吴... Ⅲ.个人-修养-通俗读物 Ⅳ.B825-49

中国版本图书馆 CIP 数据核字(2001)第 062300 号

Copyright © 2001 by CITIC Publishing House Reader's Book Center
Original English language edition Copyright © 1998 by Spencer Johnson
All rights reserved including the right of reproduction in whole or in part in any form.
This edition published by arrangement with G. P. Putnam's Sons, a member of Penguin Putnam Inc. through Big Apple Tuttle-Morl Agency.

谁动了我的奶酪
Who Moved My Cheese?

著　　者	[美]斯宾塞·约翰逊	开本	787mm×1092mm　1/32
责任编辑	潘　岳　林雅汐	印张	3
美术编辑	张　超	字数	40 千
责任监制	王祖力	版次	2001 年 9 月第 1 次
出 版 者	中信出版社(北京朝阳区新源南路6号京城大厦 邮编100004)	印次	2002 年 4 月第 18 次印刷
电脑制作	北京中文天地公司	京权图字	01-2001-3328
承 印 者	北京新华印刷厂	书号	ISBN 7-80073-366-1
发 行 者	中信出版社		G·30
经 销 者	新华书店北京发行所	定价	16.80 元

版权所有·翻印必究

敬告读者：《谁动了我的奶酪》一书只有精装四色彩色印刷本是正版，任何平装本、单色本均为非法出版物，我社将与版权执法机关配合大力打击盗印、盗版活动，敬请广大读者协助举报，经查实将给予举报者重奖。
举报电话：北京市版权局版权执法处(010)84251190
中信出版社(010)84543346-8046　65389054